日本びいきの
ハーフっ子と
里帰り

原作＊ 小倉マコ　漫画＊ アベナオミ

イースト・プレス

はじめまして！マコです！
現在カナダで1男1女の子育て中です
カナダのオタワという街で暮らしています
学生時代に出会った
カナダ人の夫トム

すっ
忍法《にんぽう》
手裏剣《しゅりけん》の術!!
こちらは息子ザンちゃん（7歳）
キラン
ハッ
ヤァ!!
こっちは娘の杏《あん》ちゃん（5歳）
くぅ〜〜またもやぶれたり!!
やったー♡
2人とも日本が大!! 大!! 大好き!!

私が生まれ育った
日本のことを
知ってほしくて
いつもたくさん
日本の話を
しちゃうからかな〜
知らぬ間に
ザンちゃんは
学校で
ボクは
日本人だよ！
と自己紹介しているらしく…
日本の
姫《ひめ》路《じ》城《じょう》には
なんと!!
ニンジャが
住んでいる
んです!!
パチパチ
パチパチ
オオ〜
な〜んて
クラスで
プレゼンを
してるとか…(汗)
そんな日本大好きな
子どもたちですが
実は日本に行ったのは
4年も前!!
ザンちゃん
3歳
杏ちゃん
1歳
さすがに2人とも
日本の記憶が
ないのです…

ここ数年引っ越し続きで
里帰りするヒマが
ありません
でしたが…
やれやれ
ふ～やっと
生活が
落ちついた…
はっ
え～～～～～～っ
日本に行くの!?
本当に!?
そう！
里帰りに
行くのよ
ルン♡
ルン♡
やった～ 杏は
ニンジャに
会うの
カナダ育ちのこの2人は
日本でどんなドキドキ
ワクワクな時間を
過ごすのか…
パパはお仕事
あるから
お留守番
なの～～
きいてる～？
すっ…すごい
テンションの
高さ…
ぜひ かいま見てやって
くださいませ！

もくじ

ほんとか!? 帰ってくるのか!!
いつだ!?
きゃ〜 ばあば うれしい〜〜〜!!
日程決まったら また連絡 するから〜
ばあば〜♡
じぃじ〜♡
私も!! はなす!!
キャ キャ
ザンちゃんと 杏ちゃんも 大きくなった わよね〜! 楽しみ〜♡
じゃあ またね〜
は〜〜い♡
ピッ
4年ぶり だもんね…
すごい テンションだった…
よーし!! 日本に行く ぞ〜!!
お——っ

日本国際空港
そしていよいよ
帰国の日を
迎えました
わ――!!
日本だ!!
日本語
ばっかり～!!
出口 EXIT
すごーい
やっと着いたね
ガラガラ
え――っと
お父さんは…
キョロ
キョロ
あれ…?
いない?

え!? じいじちゃんは?
じいじちゃん どこなのー?
あっちょっと まって~!!
じいじ ちゃー――ん
じいじちゃー――ん
たっ たっ た、
こんなに探してる のに…いない!!
じいじちゃんに なんかあったの!?
7歳児にできる もしもの事態を想像中
ピタッ
5歳児にできる もしもの事態を想像中
うわ――ん!! じいじちゃー――ん!!
わーん
悪い人に さらわれ ちゃったの かもー
わーん
ザンちゃーん 杏ちゃーん
もう。
とりあえず こっちおいでー!

え？ ママ？ こっちちがう 飛行機の人の 出口だよ
ううん こっちで いいの…
スタ
スタ
スタ
スタ
あっほら いたいた！
じいじちゃんが いる――!!
おおマコ！
やっと来たか！
ポツン
じいじちゃんだ!! 会えた――!!
いきてた――!!
ザンちゃん!! 杏ちゃん!! 大きくなって!!
やれやれ～
お父さん… またまちがってた…

まちがってないぞ～
お母さんに
ANAの出口よ！
って言われてな
JALでした
はりきって1時間前には来てたんだからな！
まったく!!
もう…お母さんだったか…
こんな会話もなつかしい…
じいじちゃんいきてたね
うん!!
ホッ
きんちょうどころじゃなかったね
ブーン
いざっ4年ぶりの実家へ!!

わ〜〜〜 山だらけ
え? ニンジャ?
動物も たくさんいるよ〜
わくわく
鹿とか イノシシとか
ただいま——
おかえり なさ———い!!
お父さんったら 出口まちがえ ちゃってゴメンネー!
ばあばちゃん!! ただいまー!!
お母さん 変わってないなー
ホッ
まあ〜 2人とも 大きくなって!!
たくさん ごはん作って まってたのよ!
はやく食べたーい
夕食の支度の におい…
くんくん
ああ〜 久しぶりの 里帰りのスタートだ♡

マコ'S コラム from カナダ

---- 1 ----

英語が母国語の子どもたちの日本語

子どもたちの日本語をキープするため、私も夫も家庭内ではなるべく日本語を話すように努力していますが、実際のところ、親子間で日本語を話すだけでは、なかなか上達してくれません。会話を円滑に進めようと、子どもたちがすでに知っている語彙ばかりを使ってしまうのも原因だと思います。

それだけに日本に里帰りした最初の数日間は、聞き慣れない単語ばかりで子どもたちは焦ったようでした。しかも相手はテンポの早い関西弁で容赦なくしゃべりかけてきます。大丈夫かな?とちょっと心配だったのですが、1週間ほどで会話にもだいぶついていけるようになり、今度は「もっと日本語をしゃべりたい!」と、わからない言葉が出てくるたびに、その意味を聞いてくるようになりました。

また、年齢の近い従兄弟たちと毎日のように会っていたので、子ども同士、遊びを通して学ぶ日本語の上達は格別に早かったように感じます。この調子で日本で半年ほど生活すれば、ネイティブレベルになるのではと本人たちが言っていたほどです。里帰り中は、本書に出てくる感じで日本語での会話を楽しんでいました!

それにしても、日本語の「らりるれろ」の発音は難しいものです。日本語講師をしていた時に気づいたのですが、英語話者の多くが、舌を巻きすぎて、深い音が出てしまいます。「R」じゃなくて「L」で発音するように試してみたら、日本語らしい音になるので、子どもたちもそうやって「らりるれろ」の発音を克服しました。ちなみに、夫は「旅行」と「りょう子」がひとつの文章に出てくると、いまだにお手上げです。

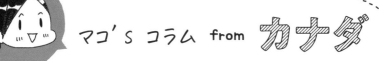

チュン
チュン
う〜〜〜ん
やっぱりおふとんっていいわ〜♡
そろそろ朝ごはんできるわよ〜
バッ
ごはん
ごはん!!
パチッ
うわ〜!! ごちそう!!
納豆
あさからディナーみたい!!
ザ・日本の朝ごはん!!

朝からこんなに作ってくれたの～♡
いいにおい～
だって～久しぶりだから日本の朝ごはんたっぷり食べてもらいたくって～♡
まだまだでます～
えっ！これってわたしの!?
パンパカパーン
あっボクのもあるよ!!
ふふふ～♡かわいいでしょ？
2人のためにそろえておきました♡
いっただっきまーーす
わーい
どれたべよ
ガヤガヤ
ずっ
おさかな!!
たべたい♡
な、とっても～
ガヤガヤ
ホッ

ああ〜〜〜日本に帰ってきたって感じ〜〜〜!!
おだしのうまみ〜
みそのかおり〜
海外生活してるとこんな朝食めったに食べられないもん!
あれ?ザンちゃんと杏ちゃんがやけに静か…
……
……
ああっ
ポロッ
ママ!!おはしってどうやるの!?
ぜんぜんつかめない!!
ボク…
玉子がにげる
ニンジャの修行がたりないの?

マコ！あなた まさか!?
子どもたちに おはしの持ち方 まだ教えて ないの!?
はっ
そう… 不覚にも
そろそろ おはし…
カナダで おはしの持ち方を 教えるのを
お店に ない…
の 売ってないな
すっかり忘れて いました…
日本から注文… めんどうだな…
かくかくしかじか… そんなこんなで 今日に至って しまいまして…
せっかく ばあばちゃん おはし買って くれたのに…
このおはしで 食べたいのに…

孫のためなら一肌ぬぎます
ばあばちゃんがママに代わって教えてあげるわ！
里帰り中におはしトレーニングよ！
わ――!! ばあばちゃん！おしえて――!!
あっ
たすかる〜
お母さん…ありがとう!!
いいのよ
生きがいが増えたわ♡
フフフ
モグモグ
ねぇ…
じっ
朝からこんなごちそうって…ことはママのおうちっておかねもち!?
え!?
ちょっと…マコ 普段どんな朝食食べさせてるの…
え――っと
今日はりきったけど わりとフツーのごはんよ

朝ごはんは ママじゃなく ダディが作るの
えっそうなの!?
平日
お母さん うちは 担当制だから
パパ
朝食
ママ
夕食
ダディは トーストとか スクランブル エッグとか ひとつだけ 作るの！
まあ～そうなの 時代も変わった ものなのね～
それとも文化の ちがいなのかしら
2人とも 仕事してるのに 全部ママが 作ったら ママ つかれちゃう もんね～
ダディの作る ごはんも おいしいよ♡
な・ん・て!! よくできた孫たち!!
キュン
日本にいる間は ばあばちゃんが おいしいごはんを たっぷり作るわね♡
やった
ザンちゃん 杏ちゃんは 朝食を ペロリと 食べました♡
カラッ

マコ's コラム from カナダ

---- 2 ----

カナダのごはん、あれこれ

近所のスーパーへ買いものに行くと、子連れのお母さんたちと同じくらい、子連れのお父さんたちの姿も目にします。周りのお友だち家族を含め、カナダでは共働きのご家庭が多いので、買い出しや食事など、夫婦間で分担するのが一般的のようです。

だから友人宅へ夕食に招待された際も「今日は、夫が作りました!」と言われることがめずらしくありません。子どもたちが放課後友人宅にお邪魔した際にも「○○ちゃんのパパの手打ちパスタを食べた♡」「○○くんのお父さんが、クレープを作ってくれた!」「○○くんのお父さんとピザを作った」などと言って帰宅することがあります。

ここまで読むと、なんだかカナダ人男性って、みんなお料理できるんだ!と思われるかもしれませんが、もちろんわが愛夫のように、料理は大嫌いだけど仕方なく作ってくれているカナダ人男性もおりますので、誤解のありませんように~!

それにしても、カナダ人って普段いったいなにを食べているんだ?とよく聞かれるのですが、多文化主義国だけあり、日本のような寿司やカレー、ラーメンといった国民食は存在しません。どの家庭も、自分の国の食文化を大切にしながら、かつ好きなものを食べているように思います。スーパーに行けば、いろんな国の食材がだいたい手に入りますし、国際色豊かなレストランもたくさんあるので、カナダって、弁当で例えたら、世界を一気に味見できる欲張り弁当のような国でもあるのです。だからおはしだって、だいたいみんな使えますね。

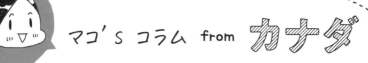

帰国して早々
子どもたちには新しい日課ができました
それは…
「トカゲ探し」
いや…正確には
トカゲ狩り…
朝食後にザンちゃんは玄関であるものを見つけたのでした
キラ
キラ
あら？もう見つけた？ばあばちゃんが用意しておいたのよ～♡
え!?

虫とりアミと虫かごよ〜♡
わ〜〜〜!! かっこいい!!
わっ お母さん買ってたの!?
ふふふ… 4人も育てたんだもの…孫が欲しくなるものはお見通しよ
キラ〜〜ン
ばあばちゃん!杏のもだして!
え?
ばあばちゃん!アミと虫かご!
買ってない
ダラ
ダラ
あ!
もしかして女の子だから?そういうのダメなのよ!
カナダでは幼稚園からジェンダー平等の理念をみっちりたたきこまれてるのよ…男の子だから女の子だからはダメなのよ
ヒソ
ヒソ
え——、

すっ
杏ちゃんの分 今すぐ スーパーで 買ってきて
ずいっ
あの…お代は…
ゴゴ
いいから とにかく 買ってきて
ゴゴゴ
うっ
ゴゴゴ
杏ちゃん!
杏ちゃんのアミと 虫かごはまだ お店にあるの!
ママが今 お店に取りに 行くから まっててね♡
わーい!! やった——!!
い゛っでぎまず…

数十分後…
じゅんびはOK!!
探検にいくぞー!!
オ——ッ
田んぼには
カエルや
オタマジャクシ
草むらには
小さな
トカゲ…
虫は
そこら
じゅうに…
近所には
とったトカゲを
玄関前で飼っている
子どもも多く…
じっ
うん…
家の中には
入れたくないよね
それを見て
よーし!!
ボクもペット
ほしい!!
杏も!!
となりました…(汗)

はしゃいでるわね～カナダでも虫とりしてたの？
ぜーんぜん今日がはじめて
いた!!
えい!!
まて!!
よし!!つかまえた
え？
自然いっぱいのカナダなのに？
きっと気候のちがいだと思うけどトカゲ・ヘビクワガタカブトムシとか全然見ない
1ドルストアには虫とりセットも売ってるけど…
キャー
キャー
そうなのねー
あんなふうにアミを持って走り回ってる子どもも
ここ20年私はカナダで見たことないのよ
ドーーン

トカゲちゃん
今日から
ここがおウチよ
エサあげよ
うう…
玄関の中に
入れてる…
数日後…
デデーン
玄関は生き物
パラダイス化
いってきまーす
今日も
取るぞ~
この小さな
虫とり忍者
2人のウワサは
あっという間に
ひろまり…
近所の子どもは
もちろん
ゾロ
ゾロ
定年退職後の
おじさんたちまで
参戦!?

特に…
かわいいワンピースを着ているオシャレな杏ちゃんが…
むずっ
素手《すで》でトカゲ狩りをしている姿は
つ・か・ま・え・た♥
センセーショナル!?
ザワザワ
私もおてんばだったけど…素手はムリ…
杏ちゃんスゴイ…
こうして毎日虫かごは増え続け…

ああ…もし
あのトカゲ全員
ひりだけど…
カナダに連れて帰るなんて言い出したらどうしよう…
お～今日も
やっとるな～
あんな～
そろそろ自然に返さなあかんで～
え～～～っなんで～
せっかくペットにしたのに～
ザンちゃんも杏ちゃんもずっと虫かご入ってたら嫌やろ～！
ポワワン
おっちゃんと一緒にペットみんな自然に戻しに行こうな～
は――い
思いがけず救世主が現れペットはみな自然に帰りましたとさ…

あら
もう こんな時間
お夕飯の 買いものに 行かないと
バタン
だっ だっ だっ だだっ
ガラ ガラ
ばあばちゃん!!
そろそろ 買いものの!? おてつだい するよ!
お手伝い 毎日 うれしいわ〜
毎日スーパーへ行く ザンちゃんと杏ちゃん…
実はカナダにいる時は ま〜ったくスーパーに 行きたがりません…
買いもの いくよ〜
ヤダ
え〜
ザンちゃんと 杏ちゃんは…
「おてつだい」を かくれみのに…
ばあばちゃん 孝行!!
おてつだい

おかしコーナー
そう2人の真の目的は「子どもお菓子売り場」
2人にとってはまるでパラダイス!!
日本で生まれ育った私たちにとっては当たり前の光景ですが…
アメリカやカナダのスーパーには
「子ども用」のお菓子がほぼありません!!
Potato Chips
Cracker
Cookie
ドカーーーン

小さくてカラフル
キャラクターの
パッケージ…
おもちゃ付きの
食玩《しょくがん》や
遊びながら
食べる
知育菓子…
ねるね
レベルの高さと安さは
世界一だと思います
お手伝いありがと～好きなお菓子ひとつ買っていいわよ～
わーーーい!!
やったー
って感じで毎日のように日本のお菓子を楽しむ2人…
ただいま～!!
やれやれ今日はなにを買ってもらったの?
ちょっとまって
はやく!!

今日はね
大好きな
モンスターゲームのグミにしたんだ!!
ポロッ
ポトン
ママー!!
すごいよ!!グミにカード入ってる!!
ほんと!?
OMG
オーマイゴッド!!
♪モンスター♡カード♫ ♫
ゲットしたぜ〜♡
私も絶叫して踊って喜びそうになった…
うず
うず
なぜなら…このモンスターゲームのカードはカナダでは高いのなんの…

カナダで買うと
10枚入りで
700～800円も
するんです!!
しかもレアカードは
ほぼなし!
みんなザコ…
ああ～～
カナダの
ママ友に
教えてあげたい
グミまで ついて
このお値段!!
ママ!!
ん?
どうしたの?
杏ちゃんの
おかし!!
なかみが
ないの!!
びえ～～ん
カラッポの
入れものと
ちっちゃい
フクロしか
入ってないの～
えーーーん
まほうのこな
あ～～
杏ちゃん…
それはね…
ニコニコ

知育菓子って言ってね…
作って食べるの
えっ？作るの？
まほうの粉に水を入れて…
くるくるまぜると～
ぷくぷく
OMG
ええ～～～!!すごい!!おかしできた!!
えっへん
しかも…おいしい!!
おいしいよ～～～!!
パクパク
杏ちゃんちょっとちょーだい♡
ダメッ
おいしいからダメ
うふふ…明日も買っちゃうんだからね♡
2人とも日本のお菓子のとりこ♡

マコ's コラム from カナダ

---- 3 ----

海外の子ども用お菓子って?

カナダにも、ひとつだけ子どもたちの遊べるお菓子があります。それは「キンダー・サプライズ」。卵形のチョコレートの中に、カプセル入りのおもちゃが入っている仕組みで、スーパーのレジ近くに必ずと言っていいほど置いてあります。サプライズという名の通り、中に入っているおもちゃも、人形だったり、駒だったりと様々で、組み立て式のものが多く知育菓子とも呼べます。我が子たちも、小さいころは、キンダー・サプライズを見ては「買って!」とよくせがんでいたものです。でもこのお菓子は、カナダ産ではなく、イタリアを拠点にする製菓会社のものです。

もしや、キンダー・サプライズが生まれたイタリアになら、日本のような楽しい子ども用のお菓子売り場が存在するかも?　そう思って夏休みに家族で北イタリアに行った際、ワクワクしながらスーパーで探してみましたが、見かけることはありませんでした…(涙)。ヨーロッパを拠点にトラベルライターをしている友人や、ヨーロッパ出身のママ友さんたちにも、子ども用お菓子売り場の存在について聞いてみましたが、イタリアを含め、ヨーロッパでは見たことがないとのこと。お菓子があるとしたらひとつだけ、皆、口をそろえて「キンダー・サプライズ」と言います。

やはり欧米には、日本のような駄菓子カルチャーが存在しないのかとガッカリしていたところ、意外な国で発見しました。メキシコです!　ただ…子どもが食べられるレベルではなく、むちゃくちゃ甘いか(砂糖の味しかしない)、むちゃくちゃ辛いかで(唐辛子のパウダーがかかっているようで、グミまでもが真っ赤)、こちらの駄菓子は、メキシコで生まれ育った人にしか通用しない駄菓子でした(汗)。

［その6］ あめちゃん

ザンちゃ――ん
杏ちゃ――ん
あめちゃん
いる――？
ばあばちゃ――ん
た、た、た、た、
なになに？
よんだ？
はい
あめちゃん
あめ…
ちゃん…？
あ!!
キャンディーね
うふふ♡
わ――い
ありがとう!!

ピカッ
あめちゃん…
あめ…
ちゃん!?
ねぇ!!
ばあばちゃん!!
ん?
さっきスーパーで買った
ポテトチップスちゃんと
チョコレートちゃん
ポテチ
あとアイスちゃんも
く〜ださい♡
バニラ
えっへん♥
ちゃん…
かわいいから
全部あげたいけど
ひとつだけね〜
クスッ
クスッ

おーーい
お風呂だよ〜〜〜
聞こえないフリ
カナダでは
こうだった2人…
お風呂は
いいよ〜!!
めんどう
シャワーで
いいの〜!!
え〜〜〜
お風呂
入りたい…
日本に来てから
どうなったのかと
言いますと…
よし
よっこら
そろそろ
風呂か!!
!!

おフロ♡
おフロ♡
見ての通り…大・大・大のお風呂好きになりました
あはは♡
ザンちゃんと杏ちゃんをお風呂大好きにした張本人はお父さん!!
ニヤリ
実は孫たちとのお風呂を超楽しみにしていたようで…
んふ
いろいろとお風呂グッズを用意!!
日本の名湯
温泉
森の香

シュワ
シュワ
わ〜〜〜!! お湯がブルー!!
きれい♡
日本なら どこの家庭にもある
この光景…
カナダには ないものばかりなんですよ!!
●入浴剤●
きれいな蛍光色のお風呂 いい香り!
●お風呂用おもちゃ●
もともとお風呂に入る習慣がないので使わない
日本の名湯
カナダで買おうと思うと高い!!

ザンちゃん杏ちゃんにとっていちばんカルチャーショックだったのは…
じいじちゃんと
お風呂に入ること!!
日本では小さいころから祖父母とお風呂に入ったり温泉で知らない人と入ったりするのは当たり前ですが…
両親以外の人とバスルームに入るなんてカナダでは一度もありませんでした
よーしタコさん作るぞ〜
ぷく〜っ

ほれ!!
タコさん
ぷかっ
わ〜〜〜!!
じいじちゃん
すごい!!
かわいい〜〜〜
さあタコさんを
押してごらん!
ブク
ブク
ブクブク!!
キャーッ
楽しい〜!!
じいじちゃん
もういちど
やって〜!!
スゴーーイ
楽しそうね
じいじちゃん!!
バッファロー
ついてる〜!!
じゃあザンちゃんは
白ウサギだなっ
まさか…ちん…
ピクッ
こ…これも?
日本での楽しい思い出に
なりました…(汗)

マコ’s コラム from カナダ

4

意外と誤解されている日本の風呂文化

カナダでは、ふだんお風呂（湯船に浸かること）が苦手な子どもたちですが、お風呂に入りたがらないのは、どうやら我が子たちだけではないようです。周りのママ友さんたちに聞いてみると、どの家庭も、お子さんたちはお風呂どころかシャワーも毎日浴びないらしく、特に冬は週に3回程度だという返答が多かったです。風呂文化のある日本で育った私にとって、毎日お風呂に入るのは、歯を磨くのと同じくらい日常的なことだったので、これには驚きました。

ですが、驚いたのはママ友さんたちも同じです。「毎日お風呂に入るなんて、環境のことを考えたら、水資源の使いすぎじゃない?」と言うわけです。北米のように、浴槽の上にシャワーがついているのが一般的な国では、浴槽と洗い場が分かれていないので、体や髪を洗うのもすべて浴槽内となります。そんな北米のバスルームを前提に、毎日、家族全員が湯船に浸かることを想像すると、人が入るたびにお湯を張り替えるように思ってしまうのでしょう。

でも実際のところ、日本では（そして我が家でも）お湯を張るのは1日に1回だけ。それに家族のみんなが順番に入るので、与えられた資源を最大限に活用していますよね。それを伝えると「そうだったの!?　長々とシャワーを浴びるより、環境に優しいかも」と、相手の納得した返答が戻ってきます。そんな反応を見るたびに、やっぱり毎回お湯を張り替えると誤解してたんだなと気づかされます。

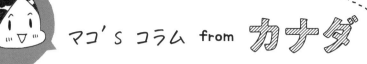

［その8］ コタツ

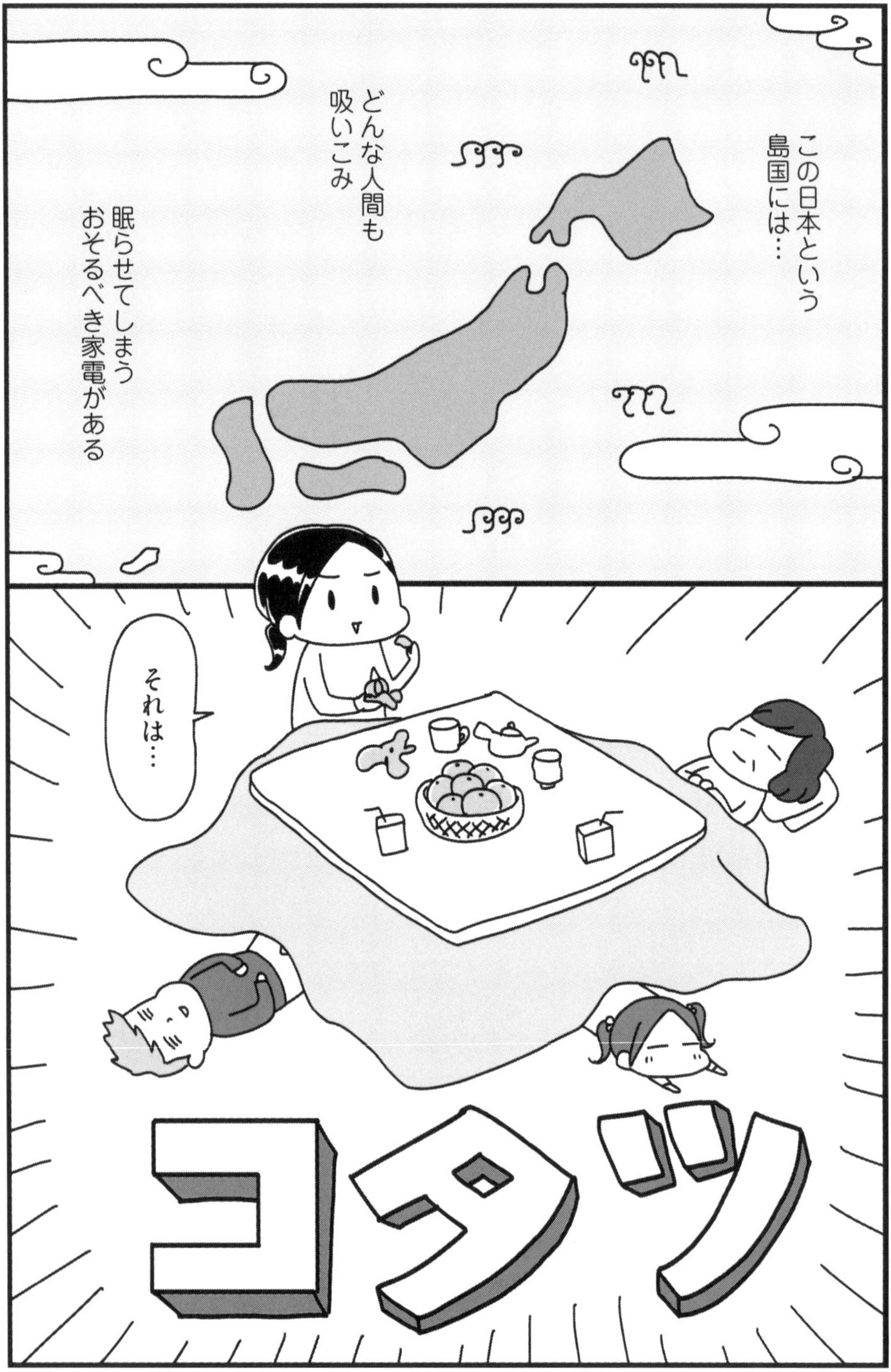
この日本という
島国には…
どんな人間も
吸いこみ
眠らせてしまう
おそるべき家電がある
それは…
コタツ

ザンちゃんも杏ちゃんも はじめて見た時は びっくり!!
え? なにこれ!?
リビングルームに おふとん? 日本は リビングルームが ベッドルーム?
これはね おふとんじゃなくて コタツよ
ばあばちゃん みたいに 足を入れて みなさい
うん…
杏もはいる〜
あったかーい!!
コタツはね 寝るための おふとんじゃ ないのよ
みんなで おしゃべりしたり テレビを見たり みかんを食べるとこ♡

ぬくぬく～♡
ぬくぬく～♡
ぬくぬく～♡
ガラガラ
ね～なにか飲む～？
ん？
くか～
くか～
スピー
スピー
もう…
ここはベッドルームじゃないのよ～
お昼寝はいいのよ～おやすみ～

すっかりコタツが気に入った2人…
カナダの家にもコタツほしい～
え――そうねー
カナダでもぬくぬくしたーい♡
まぁ…私もコタツ欲しかったし…
いやマコ冷静になって…
コタツを持ってカナダに帰るの?
ムリ…
そうだ!!
カタカタカタカタカタカタ
ママ?
ママ?
カナダに帰国後…
自分たちで
コタツ作っちゃいました!!
ちょっとテーブルが高いけどね～～～♡
ダディもXOXO♡
ぬくぬく～♡
我が家のコタツ愛はとまりません♡

マコ's コラム from カナダ

---- 5 ----

コタツ文化 in 海外

「おうちにもコタツが欲しい」と言う子どもたちのリクエストに応えるべく、インターネットでいろいろと調べてみました。いちばん簡単なのは、日本のネットサイトで購入して配送という方法ですが、海外配送してくれる会社が意外と少なくて驚きました。それならと、確実に配送可能なカナダやアメリカのショッピングサイトへ変更。当然のことですが、日本で買うよりコタツの種類が少なくお値段も割高になります。なかにはまったく同じコタツが、日本の5倍以上の値段で販売されていたりと、こちらでの購入をなかなか渋っていました。

そんななか、コタツDIYのウェブサイトを発見しました。コタツを自分で作る人がいるの?と驚きでしたが、ある、ある!　英語で紹介されたコタツの作り方!　どうやら日本に住んだことのある外国人の方々が、自国へ戻っても、コタツの魅力が忘れられず自分たちで作ってしまったようです。

それを見ながら作った我が家のコタツは、縦長で足も少し長め。コタツぶとんもキングサイズのかけぶとんで、本気で寝られます。というのも、長身の夫にとって日本製のコタツは膝を打ちまくるし足も出るしで、あまり心地よくなかったのです。なので今回は家族全員が楽しめるようにと、理想のコタツを作りました♡　ご近所さんにもめずらしいようで、子どもたちの友だちがコタツに入りたいと遊びにくるほどの人気ぶりです。

また、コタツの需要の高さ以上に驚いたのが…実は、日本以外の国にもコタツ文化があったということです。イランでは「コルシ」、アフガニスタンやタジキスタンでは「サンダリ」と呼ばれ使用されているようです。なんとスペインではダイニングスタイルのコタツもあるのだとか。他の国のコタツでも、いつか子どもたちと一緒にぬくぬくしたいです♡

トイレ
行ってくる
パタン
杏ちゃん…今日はずいぶんトイレが近いわね
うーーん
おなかでも痛いのかな～
ミカン食べすぎた?
10分後…
出てこないね…
心配だわ見てきたら?

いつもこんなに時間かかるっけ?
やっぱりおなか痛いのかな
パタン
杏ちゃ――ん
は――い
あれ?カギかけてる?
ガチャ
ガチャ
杏ちゃんカギもあけられなくなったの?
だいじょーぶちょっとながくなる
ママはあっち行って~
カナダではトイレのカギなんてかけたことないのに…
というかドアすら閉めないのに…

あら？
どうだった？
う——ん
ママは
あっち行ってって
言われちゃった
さらに5分後
杏ちゃんまだ
出てこないの!?
う——ん
でも
おなか痛い
ようには
見えなかった
のよね～
ハッ
ちょっと
見てくる!!
バッ
まって～
杏ちゃん!!
まだトイレ？
うん
トン
トン
なにしてるの!?
ばあばちゃんも
トイレ入りたいの!!

ガチャ
びしょぬれ!?
え？
？　？
ナゼ？
やっぱり…
ママ!!
このトイレ!!
すごくえらいの!!
いいきもち!!
びしょぬれの杏ちゃんによる突然のトイレプレゼンがはじまった…
ここをまわすとおんどがかわるの!!
くる
くる

この「おしり」ボタンをおすとね!!
ピッ
ビデ
おしり
シャワーがでるの!!
お
ジャーーッ
ドヤ顔
風もでるのよ!!
ボーッ
あ…杏ちゃん…
パクパク
ばあばちゃんトイレおわったら言ってね!! まだあそぶの!!
予感的中
アメリカにもカナダにも…シャワートイレなんて粋《いき》な代物《しろもの》は普及してない
つべたっ!!
はじめて見るシャワートイレ…
オモチャだと思っちゃったかな…
杏ちゃん!!

ここはトイレよ
オモチャじゃないの
遊ばないでね
水びたしで
次に使う人が
こまる
でしょ？
うん…
ごめん
なさい…
うん
いいのよ♡
ニコッ
ホッ
さっ あっちで
着替え
ましょ♡
あっ マコ
おそうじ
おねがーい♡
杏ちゃん
どうしたの？
はーーーい

マコ'S コラム from カナダ

---- 6 ----

海外の公衆トイレ事情

日本のトイレに慣れていると、海外の公衆トイレが使いにくく感じることがあります。特にアメリカやカナダでは、落書きが多いので居心地が悪いことも。また、前の人が「大」をして流していないこともありますので、ドアを開けた瞬間、ギャーと大声を上げそうになることも少なくありません。

加えて、トイレのドアの下が広く開いているので、のぞくことも、のぞかれることも可能です。これはホームレスやドラッグ使用者がトイレから出てこない、といったことを防ぐ安全面の問題から始まったシステムらしいのですが、小さな子どもが「ママどこ?」と、ドアの下からもぐって入ることも可能なので、びっくりする反面、親にとってはある意味便利だったりもします。

あと、お国によっては、公衆トイレを使うのが支払い制であったり、ティッシュをその場で買わなきゃいけなかったり、監獄のようなトイレだったり、トイレに手洗い場がないところもあります。そのため海外旅行の際には、ティッシュと小銭と殺菌タオルは必需品です。それと裏技として、前もってキレイで比較的使いやすい「MY公衆トイレ」をチェックしておくのも役に立つかもしれません。特に小さなお子さんがいらっしゃるご家庭なら。

私がカナダに来たばかりのころは、よく使わせてもらう「MY公衆トイレ」を日本人仲間と教えあっていました。いちばんお世話になったのは、5つ星ホテルのロビーにあるトイレです。もちろん使用の際はホテルのご迷惑にならないようにしないといけませんが、いざという時には、敬意を払いつつ使用させていただくのもひとつの方法だと思います。

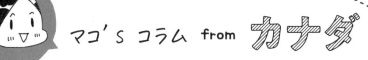

いし
や〜き
いも〜
おぃも〜
やきぃも
いしや〜き
いも〜おぃも
ギョッ
だれかお外でカラオケしてる？
子どものこえじゃない!!おとなよ!?
おとながお外でカラオケ!?
しんじられなーい!!
HAHA
HAHA
あれね石焼きいも屋さん
あつあつのサツマイモ売ってるの

いしやーき
いもー
ええ!!
こんな大声で
サツマイモ
売っていいの?
カナダじゃ
ダメだよね
ピコ
ピコ
ピコ
ピコ
そう?
カナダにも
あるじゃない?
アイスクリームの
トラック
ママ
それは
ちがう!!
え〜〜〜?
同じじゃないの
かな〜?
説明します
アイスクリーム
トラックは
ピコピコと
きもちの悪い
おんがくを
ならして
子どもに
アイス食べたーい!
とおもわせます
サン 学級委員長

わーーい!!
アイスください!!
トラックに走ってくる子どもたちを…
へへへ…
いいカモがきたぜ…
フフフ
悪いおじさんが子どもをゆうかいしてるとおもう!!
キャーー!!
うわー、たすけて!!
だからボクはアイスクリームトラックにはちかづかないのです
ザン学級委員長
うんうん!!
杏もちかづかない!!
ねっ
へぇ〜〜〜
アイスクリームは大好きだからアイスクリームトラックも大好きだと思ってたわ…
子の心はわからないものね〜
心の中のマコ

日本の焼きいもトラックはまるで
い〜し や〜き いも〜
よったおじさんがごきんじょじゅうをまわってさけんでるみたい!!
たしかに!!
ププッ
よ〜〜し!! クツはいて!!
本当によったおじさんがいるか見に行こう!
え!! 焼きいも買う?
やった——!!
わ—— 行っちゃう!! まってー!!
いしや〜き いも〜
まって〜
この後2人はおいしい焼きいもをたっぷり味わいました♡

[その11] おしぼり

やきとり
今日は父と母と
焼き鳥を食べに来ております♡
やきとり
やきとり
ご来店ありがとうございまーす
ご注文お決まりのころおうかがいしますね〜
お子さま用の取り皿お持ちしますか?
あっ お願いします〜
ホカホカ
ホカホカ
ねーなんかこれポカポカする!!
わ〜〜〜♡あったかくてきもちいい〜
ふ〜
おしぼり初体験のこの2人…使い方わかるかな…
おしながき

わ〜〜〜
きもちい〜
いいかおり〜
日本のレストランてスパみたい♡
顔から行った!!
それはアフターファイブのサラリーマンがすることよ…
あなたたち何歳よ…
ママもふいてあげる〜♡
ママは大丈夫!!
ファンデがおちる〜
あのねこれは「おしぼり」って言ってね
手をキレイにふく
じいじの顔もキレイにふいて〜♡
ふきふき♡
メロメロ〜
ボクも〜
あ〜〜〜幸せ♡
まったく…お父さんたら…恥ずかしい(汗)
とりあえず焼き鳥食べよ…

いつものようにばあばちゃんとスーパーに行った子どもたち
本日 ポイント 5倍 デー
ん?
本日はポイント5倍デー!! お買得です!!
だいこん 157円
こっちの人も…
いらっしゃいませ〜
マスクしてる人いっぱいいるー!!

ただいま～
おかえり～
あれ!? ザンちゃんどうしたの!?
ねえ ママ…
ガクッ
スーパーに マスクの人 いっぱいいいたの!!
ドーーン
すごくコワイ!!
え?
みんな… コワイかおに なったのかな?
くちがない? ゾンビ!? モンスター? なんでマスク してるんだろ…

ね～コワイよ～
あ～そうか～
アメリカやカナダでマスクをしている人はあまり見かけない…
日本ではじめてこんなにマスクをしてる人を見たザンちゃん…必死にマスクをする理由を想像したのね…
プッ
季節は春
ザンちゃん 今の季節日本では多くの人が花粉のアレルギーになるのよだからマスクでブロックするの
ふ～～～ん そうなんだ!!
モンスターじゃなくてよかった!!

数日後…
くしゅん
くしゅん
くしゅん
くしゃみがとまらない
目がかゆい～
ママーー
ドーン
ザンちゃん 花粉症かもしれないわね
大変だわ…
このマスクきもちいい～
スースー
ザンちゃんの花粉症もビックリしたけどさ！

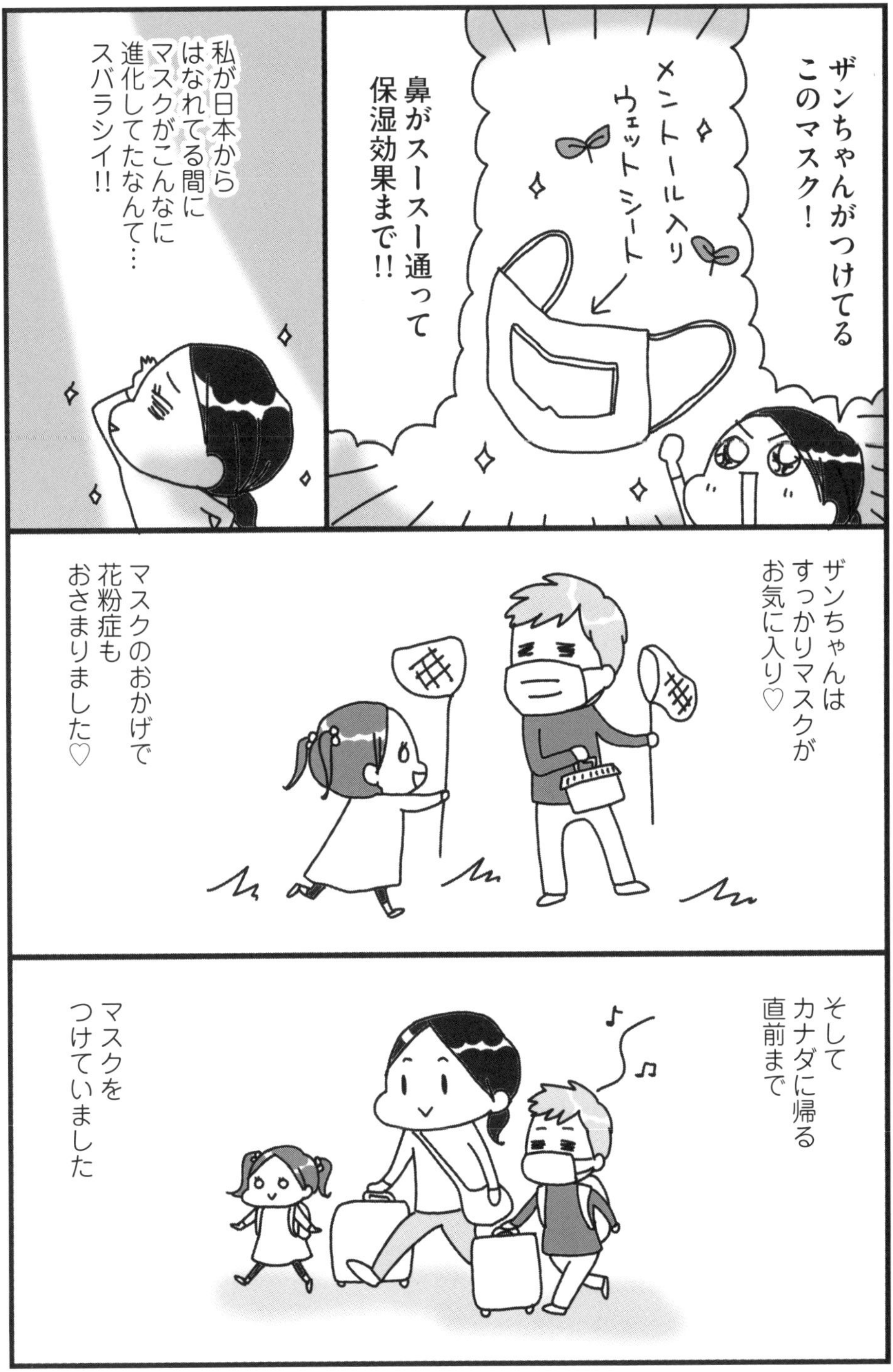
ザンちゃんがつけてるこのマスク!
メントール入り
ウェットシート
鼻がスースー通って保湿効果まで!!
私が日本からはなれてる間にマスクがこんなに進化してたなんて…スバラシイ!!
ザンちゃんはすっかりマスクがお気に入り♡
マスクのおかげで花粉症もおさまりました♡
そしてカナダに帰る直前まで
マスクをつけていました

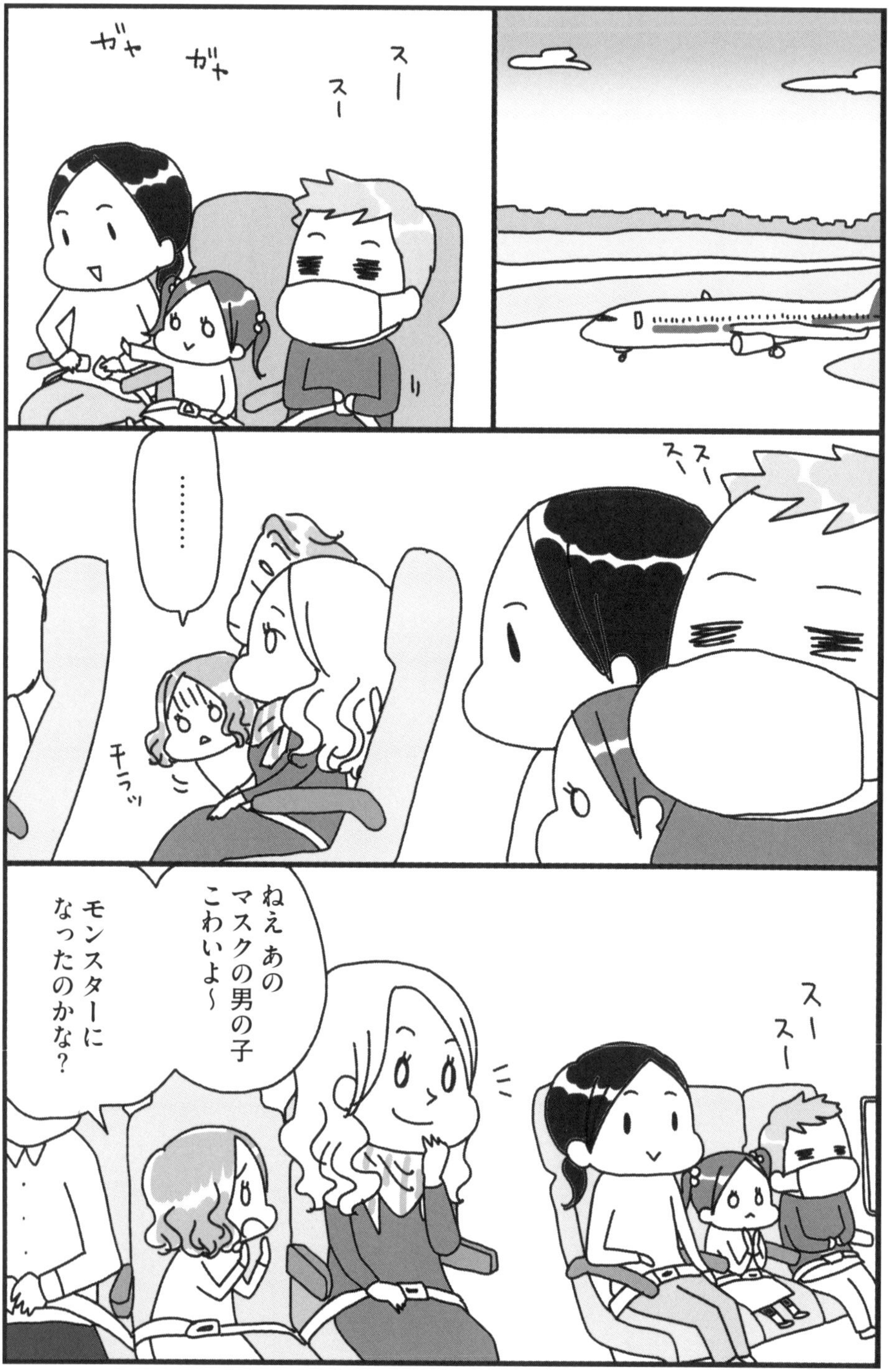
ガヤ
ガヤ
スー
スー
スー
スー
……
チラッ
ねえあの
マスクの男の子
こわいよ～
モンスターに
なったのかな？
スー
スー

マコ’s コラム from カナダ

---- 7 ----

マスクと咳エチケット

日本では、花粉症や風邪の際にマスクを着用するのが主流ですが、カナダではマスクをしている人をほとんど見かけません。それと言うのも、元来、カナダでは、マスクの使用目的は周りへウィルスを拡散するのを防止するためであり、日本のようにウィルスが自分の体内に侵入するのを防止する手段として見なされていません。

子どもたちも、幼稚園のころから、病気をもらわないようにと「手洗いの仕方」、そして周りへうつさないようにと「くしゃみや咳の仕方」を学校で学んできます。興味深いのは、日本では、急なくしゃみや咳の際、両手で口を押さえるのが主流ですが、カナダでは、肘の内側で覆うのが主流です。手で口を押さえた場合、ウィルスが手につき、その手で人や物に触れることで周りの人にうつす可能性があるので、この方法は勧められていないのです。風邪やインフルエンザが流行る冬になると、正しい手洗いや咳・くしゃみの仕方のポスターが、学校やコミュニティーセンターなどの公共施設で目立つようになります。

そして、このコラムを書いている2020年4月。新型コロナウィルスが流行し、オタワでは、ウィルス感染拡大防止のため、子どもたちの小学校は3月の半ばより閉鎖しています。多くの会社が在宅勤務形態をとり、臨時閉鎖するお店が増え、家族以外の人との不必要な接触も制限され、街は静まり返っています。その影響下で、マスクとは無縁だったカナダの状況も少し変わってきました。特に、アジア人の多いバンクーバーやトロントなどの都市ではマスクが売り切れ状態になり、オタワでも最近では外に出るとマスクをしている人を見かけるようになりました。どうやらウィルスが自分の体内に侵入するのを防止する手段としても、使用されるようになってきたようです。

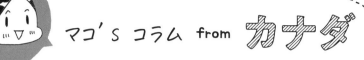

ガコン
日本は本当に自動販売機《じどうはんばいき》が多いです
カナダでもアメリカでも自動販売機は日本ほど普及してません
自宅の最寄りの自販機が
スーパー？
駅？
どこにあるのかパッと出てこないくらいないんです
うーん
外出する時はだいたいマイボトル！
学校にも習いごとにも水筒持参です

外出先で
のど
かわいた～
なんて言うことも
ありませんでした…
そう！
日本に
来るまでは!!
ママ！
のどかわいた～
日本に来て
たった3日で
自販機の前で
立ち止まる
クセが!!
え――っ
昨日も
ジュース買った
でしょ～～～
ゴソ
ゴソ
あっ
自分で
買うから
大丈夫!!
100

どうしてかな〜！
ポケットにコインが入ってるよ〜
杏にも買って〜
オーホホホ
お母さんだな〜ザンちゃんにこっそりおこづかいあげてるの!!
ジハンキでジュースが買えるって日本でしかできないじゃん!!
そうだよ日本のぶんか!!でしょ——!!
わかったよ…買っていいよ…
ズシッ
日本の文化
文化体験と言われると弱い私…
わ——い
やった——!!どれにしよー!!
キャッキャッ
この2人…「なにを飲みたいか」ではなく…パッケージのキャラで選んでいるのだ（汗）

う〜〜〜ん どの猫ちゃんに しよ〜〜〜!
ん〜ボクは…
このゴールドのドラゴンかっこいい!!
BEER
Acl 6%
お酒
これにする!!
それはお酒!! ダメよ!!
え——っ ダメなの!?
かっこいいのに〜
ママ〜 わたし きめたよ!! だっこして♡
これにする♡
よいしょっ
ガコン
ゴキュ ゴキュ
!!

ママ!! 大変!!
え!? 杏ちゃん どうしたの!?
この…
ジュース…
モグ
モグ
おかし…
AMAZING
モグ
モグ
グミちゃん 入ってる!!
え――日本の ジュースすごい!
ナタデココ
ボクも それにする
びっくりした
お…おおう 日本の文化体験 だわね…
その日の夜
日本のメーカーさん… どうかお茶や水にも
子どものハートを わしづかみにする パッケージを 開発して ください…
と心の中で祈ったのでした

マコ's コラム from カナダ

---- 8 ----

北米の自動販売機とドリンク

カナダやアメリカでは、商品や金銭が盗まれたり、壊されるなどの理由で、日本ほど自動販売機が普及していません。自販機設置会社側も競争相手が少ないだけに、あまり力を入れていないように感じます。品ぞろえが少ない、色あせたパッケージ、微妙な賞味期限、お金を入れても商品が出てこない、お釣りが戻ってこない、スーパーで買うより値段が高いなど…便利なはずの自動販売機は…結構、不便です!(笑)。

それならば、カフェに入って挽きたてのコーヒーやジュースを買うほうが、断然おいしいし便利です。しかも、オフィス街や住宅街の中心地には、テイクアウトをしてくれるカフェがたくさんありますので、長い順番を待つこともほとんどありません。最近では環境に配慮したカフェも多く、マイカップを持参してカフェに行くと、ディスカウントしてもらえたりすることも。今や、トレンディーなカフェは共通してエコフレンドリー、フェアトレード、オーガニックが基本です♡

大人がカフェなら、子どもたちはどこへ行くかというと…「家で飲む」であって欲しいのですが…友だち同士でガソリンスタンドにあるコンビニに行くのが人気です。親としては、車にひかれたらどうしようと心配になるので、あまり行って欲しくないのですが、残念ながら品ぞろえの多いソフトドリンクマシンに惹かれて行ってしまうようです(涙)。　セルフサービス制なので、自分の好きなサイズの紙コップを選び、いろんな種類の飲みものをチャンポンできるのも楽しいのだとか。特に夏になると、スラッシーというかき氷のようなジュースも増え、夏限定フレーバーも登場し、子どもたちの目を引く派手な広告も目立ちます。子どもたちにとっては、これが自販機の代わりということになるのでしょうね。

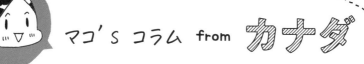

今日は電車でおでかけ
ガタンゴトン
ガタンゴトン
た…た…大変だ!
キョロ
キョロ
どうしよう

そわ そわ そわ そわ
ん？ 2人とも どうしたの？
ママ… あの男の子…
あの子のママは どこなの？ どうして ひとりで電車に？
ボクと同じくらい!!
まいごなの？ ママ!! けいさつに でんわして!!
ああ～ なるほど
あの子は… 制服だし 学校のカバンを 持ってるから
ひとりで 通学してる だけよ

ひっひっひとりで
電車で通学!?
ひとりで!?
ダメよね!?!?
説明しよう!!
カナダやアメリカでは小学校低学年の子どもがひとりで通学することはありません!
親の送迎 or スクールバスが多い
海外ドラマでもよく見るシーン
これは都会も田舎も関係ありません
自宅から学校まで徒歩5分でも必ず大人と一緒です

「○歳までは保護者と登下校する」ってきまりはありませんが…
カナダ安全委員会では
10歳未満の子どもがひとりで留守番することは勧めない
と言ってるだけに
ひとりで登下校するのは小学校高学年以上が多いですね
カナダやアメリカ以外でもメキシコ出身のママ友が言うには
メキシコじゃ臓器売買目的に子どもが誘拐される事件がよくあるのだから絶対に親が送迎するわ
ひゃ
帰宅後だって子どもだけで外で遊ぶなんてダメ!!
スーパーのおもちゃ売り場でも！子どもだけにすることはないわよ
子どもの安全のため!!

放課後に子どもだけで遊んだり
おもちゃコーナーに子どもがひとりでいたり
買い物してくるね～
はーい
日本では当たり前だったけどこんなことできちゃう国は意外と少ないのかも
うーむ
日本では小学生でもひとりで電車やバスに乗ってＯＫなのよ
安全だからね
そうなんだ…日本の子どもってすごいね!!
ザンちゃんと杏ちゃんには驚きのカルチャーショック体験となりました

あ～疲れたわ…
キャッ
キャッ
ドサッ
買いものから
帰ってきた
母の様子が
なにやら変…
なに？
あの2人
なにか
いたずら
した？
コーヒーでも
のむ？
ザンちゃんも
杏ちゃんもすごーく
かわいいんだけど…
スーパーに
連れて行くの
最近すごーく
恥ずかしいのよね…
かあ～っ
え!?

あの2人ね…試食が大好きすぎて…
うん…好き
もうスーパー入るなりすぐさま試食コーナーを探しに行くのよ!
あ〜!!
ぴゅーーん
ぴゅーーん
あったー!!
おいし〜!!
新発売
あ〜〜〜
もっと静かに〜
おいしい〜
もうひとつ!!
こんにちは〜
あら〜〜〜 今日もお孫さんと一緒なのね〜
ご近所さん
いつ日本に? しばらくいるの〜?
え〜 1カ月くらいのんびりしていくみたい…

ばあばちゃん このソーセージ すごくおいしー!!
もう それくらいに しようね
小さいのに ずいぶん 食べるのね
おやつ まだだったの?
じゃまた～
なんかまるで 私が孫におやつ 食べさせてない
みたいに 思われた 気がして…もう 恥ずかしいったら
あわわ… ゴメンネ…
ご近所さんのほか 知らない お客さんからの 視線も 痛いし…
カナダでも ああなの?
うーんとね
同じ

えっ カナダでも 試食を 食べまくってるの？ あの子たち！
OMG!
あのね そもそも 試食が ちがうのよ
日本のスーパーの 試食って
新発売の ○○でございます 軽い口どけで なめらかな食感です
おひとつ いかがで しょうか？
いただき ますね
デモする方は まるでアナウンサーのようで 食べるほうも〝慎んで〟試食
って感じよね
まあ…そうね
カナダのほうは…
ペラ ペラ ペラ ペラ ペラ
すご───く 世間話好き♡
ワーイ
よかったら 全部の種類 試してみてね♡
これが 普通!!
もういっこ
たべた～!!

なるほど…
そんなに
ちがうのね…

まあ一応
私からも
注意して
おくから…

と！いうことで
スーパーの
試食は
ひかえめにね!!

えーっ

ぶーっ

だって日本の
食べもの

なんでも
おいしいんだもーん

めずらしい
ものがたくさん
あるから

たべてみたいのに〜

Boo!!
Boo!!
Boo!!
Boo!!
Boo!!
Boo!!
Boo!!
Boo!!
Boo!!
Boo!!
Boo!!

この日以降
スーパーで
母は
ザンちゃんと
杏ちゃんの手を

ギュッと
にぎって
絶対に
はなさなく
なりました（笑）

心を鬼にしてる
→

ギュッ
ギュッ

おかしの試食!!

［その16］ 招き猫

よくレジの近くで
おじぎしてる
この2人…
ペコリ
2人ったら
日本のおじぎ文化に
気づいたのね！
ペコリ〜
ありがとう
ございましたー!!
ペコリ
いらっしゃいませー!!
カランカラン

次のお店でも…
ん?
ペコリ
チーン
人のいないほうに向かっておじぎ!? あの2人なにをしてんの!?
すっ
え?
すっ
ナニ? ナニ?
いったい…
ぴょこ
ぴょこ
ぴょこ
どうしたの!?

ちょっと!! 2人して 変だよ!!
え?
あの猫が おじぎするから 返してたの
キョロ キョロ
猫?
あ
もしかして!!
ユラ
ユラ
千万両
招《まね》き猫!?
この猫 すごいの!! 手まで おじぎ してるのよ!!
なるほどね!
そうか!! お店に入るたびに 招き猫を見つけて おじぎしてたのね
プッ
ユラ
ユラ

でもさなんで日本にこの猫いるの？
チャイナじゃないの？
カナダやアメリカは移民国家！
世界中からいろんなバックグラウンドを持った人たちが集まって住んでいます
中国からの移民も多く彼らの経営するお店の中には
チョコン
必ずと言っていいほど招き猫が置いてある
逆にオシャレでトレンディーな日本人経営の
スシバーやラーメンショップではあまり見かけません
招き猫って中国のものだったっけ？
と思うほど

招き猫のルーツって
中国？日本？
七福神と一緒に
海を渡って
きたのかな？
宝
しみじみ
招き猫の
ルーツもよく
知らず…
20年もカナダに
住んじゃったな
ママ!!
マネキ
ネコ!!
作りたい
にゃーーーん
ニャン
えの具
ねんど
ねんど
買ってきました…
沖縄で見た
シーサー
みたいにね!!
じいじちゃんと
ばあばちゃんの
おうちに
悪いやつ
来ないように
みはってね!!
杏ちゃんは
かわいくするー

ね～ ザンちゃんの マネキネコ！ 悪いやつ おいでしてる みたーい
ププッ
いや!! これは!!
メガ!! マネキネコ ウルトラDX!!
悪いやつが来たら「おいで」でやっつけるの
バシッ
ママ！しっぽって あるの～～～!?
はいはーい 今リサーチ してまーす
あっ 招き猫って やっぱり日本発祥 だったみたい！
ご利益《りやく》は… 魔除《まよ》けじゃなくて 商売繁盛だね
だから お店にいるのよ
じゃあママは ライターのビジネス してるから～
ママにも カナダで作って あげるね!!
えっ ホント♡ ありがと～♡
メガマネキネコ ウルトラDX!!は じいじちゃんの おうちを今も 守っています♡

今日は私の弟の
のりちゃんと
息子のゆいくんが
遊びに来ています
ゆいくんは6歳
ザンちゃんと
年齢が近いので
従兄弟《いとこ》同士
すっかり仲良しです
ザンちゃんさ
日本でなにが
いちばん楽しい？
うーーん
ごはん？
テレビ？
家!!

なんで? 家なの?
さんぽしながら 家を見るの 好きなんだ!!
ゆ
ザ
日本の家は かっこいいね
ぐっ
そうなの?
?
?
オタワは ボックスタイプの 似た家が 多いけど…
日本の家は ひとつひとつ ユニーク!! やねがわら なんて キラキラして キレイだし!!
ニンジャも かくれてそう!!
ひょこっ
忍者!?
むかしは た~くさん やねの上を ニンジャが はしってて

はしって
ヒメジジョウに
行ってね！
たったった
バサッ
悪いサムライを
あんさつするんだ!!
バサッ
ニンジャって
かっこいいよね
ボクもニンジャの
血が入ってるから
ワクワクする!!
いつの間に
忍者の血が
混ざっとんねん!!
ナンデヤオン
日本人には
全員忍者の
血が流れてるって
誤解してるのっ
なるほどね
きっと…
忍者!! 忍者って
言って楽しいのって
あと数年
なのよね…
ティーンエイジャーになったら
忍者終了でしょ

決めた
ザンちゃん!!
今度帰国
する時は!!
忍者
スクールに
行こう!!
滋賀、でも
三重でも
連れてくよ!!
ええ!!
ボク…本当の
ニンジャに
なれるってこと!?
やった——!!
やったー
そんなところに
行きたがるのは
マコとザンちゃんと
外国人だけやなー
フフフ…
どの口が言った!?
ス…
スミマセン…
ゆいくんも
いっしょに
行こうね～
え——

ザンちゃん
ニンジャってダサいよ～
!!
やばい…今の「ダサい」で
ザンちゃんの情熱が〝暗殺〟されたかも!?
やった!!
じゃ!! みんなでニンジャスクール
あれ? あ…「ダサい」知らなかった!?
よーし今から修行するぞ!!
え～だからダサイから行きたくないの～
助かった――!!

マコ'S コラム from カナダ

---- 9 ----

アフリカ人社長の仕事観

私は去年までカナダのヘルスケア会社でPRとしても働いていました。社長はアフリカ出身の女性で4児の母。内戦の多い国から移住してきた科学者で、仕事の面接の際には「自分のビジネスも大切だけど、それ以上に、家庭と健康を優先したいので、仕事に遅刻したり、休むこともあります。だから社員のみんなにも、プライベートを優先するように話しています。社員も、家族の一員だと思っています!」と言われました。カナダに来てもう20年になりますが、こんなことを言う社長に出会ったのははじめてです。面接の際は、本当なのかな?と、半信半疑でしたが…。

働いてみると本当に融通のきく職場で、やることさえしていれば、遅刻や欠席、ドタキャンなどに寛容でした。また、社長自身も、自分のセミナーに遅刻しては、客を待たせてしまうほどで(セミナー常連客の話によると、毎回遅刻しているとか…)そして、やっと現れたと思ったら、最初のひと言は、客にではなく社員に向かって「お待たせ~!　来てくれてありがとう♡」と手を振ってくれたり。新製品のサンプルも、客より先に社員に配っていました(笑)。

そんな彼女の仕事観を見て、気づきました。仕事って結局、家族や友だちや愛する人たちと楽しく生きていくための手段。ちょっとの遅刻や失敗で怒ったり、不必要なまでにプロ意識を要求したり、残業したりなど、いつ戦争の犠牲になるかわからない環境で生きてきた彼女にとっては、おかしなことなのでしょう。お金や地位では得られないもの、それが、家族や友だちや身の回りの人であること。それを心から理解しているからこそ、余裕を持って仕事に向き合えるんだなと思いました。平和な社会で育った私が忘れていた、大切なことを学びました。

［その18］ 北海道で回転寿司

おなか
すいたよね！
なに食べたい？
え
回転寿司
食べたい！
カナダでは
すっかり
〝なんちゃって〟
お寿司を
食べ慣れ
ちゃっている
私たち…
なんとなくおスシ〜！
北海道の
回転寿司
ってレベル
高い!!
ネタが新鮮で
大きい!!
なに〜〜!!
リサーチ中→
ザンちゃんと
杏ちゃんは
回転寿司
初体験!!
リアクションが
楽しみ！
いらっしゃいませ〜〜
転寿司

うごいてる——!!
わあ〜〜〜!!
すごーい♡
ホンモノだ!!
まわってる——!!
感動!!
わ〜すごい
お茶が無料で
飲める〜!!
ジャー
茶
ああ…
カナダは
お茶も
有料なのね
なんでも
好きなの
食べていいよ♡
わ——い♡
甘エビ
食べる〜
甘エビ〜
こ——い

甘エビだ!!
甘エビ↓
あっ!!来た来た!!
すっ
ガーン
こんどこそ!!
甘エビ↓
ああ!!取れない!!
行っちゃった!!
スカッ
ボクが取るよ!!
ああっはやい!!
スーッ
甘エビに逃げられた…
ズーン
おなかすいたよー
ズーン

逃げられた甘エビ…おとなりさんが食べちゃったし…
ボクたち甘エビ食べられないの？
もう注文しよ
すみません！
はい！ご注文！
甘エビ2つくださ——い
甘エビ2つ!!
わさび抜きでいいでしょうか
茶
はーい
ママ!!
キャッ
あんなこえだしておみせの人よんではずかしいよ!!
あ
杏ちゃん日本は声だしていいのよ
茶
カナダやアメリカでは「すみませーん」と大声を上げるのはマナー違反なのです
アイコンタクト

へい
おまち!!
わ〜〜〜!!
おさかな
フラッグ
ついてるー!!
かわいい〜
カナダに
もってかえる
杏ちゃんも
じぶんで
ちゅうもん
する!!
ボクも!!
すみません!!
おっ なに
食べたい?
英語のメニューも
あるよ!
SUSHI
イクラと
マグロ!! 甘エビ!!
おさびは
いらないね
おお〜〜
注文で
急に日本語
上達してる!!
お寿司で
おなかいっぱい
日本語も上達…
お会計も
上がりました(泣)
ひぃっ

マコ'S コラム from カナダ

---- 10 ----

日本にはない？海外のお寿司

カナダやアメリカでお寿司と言うと、カリフォルニアロール（カニ、きゅうり、アボカド）、フィラデルフィアロール（クリームチーズ、アボカド、スモークサーモン）、ダイナマイトロール（海老の天ぷら）といった創作巻き寿司が人気で、我が家の子どもたちも大好きです。

お寿司屋さんも、日本人以上に、中国や韓国の人たちが経営するお店がたくさんあり、時に想像を絶するお寿司を食べさせてもらえます。巻き寿司1本をそのまま揚げた「天ぷら寿司」や、丸く平べったい形に変身した「ピザ寿司」、海苔の代わりに湯葉やきゅうりで巻いた巻き寿司と、バラエティに富んでいます。味はまあまあおいしいのですが、酢飯と海苔の中にチョコレートとバナナが入った巻き寿司は、さすがにお手上げです（笑）。

また、近所にある中国人経営のお寿司屋さんでは、何気にマンゴーが高頻度で入っています。日本人としてはやはり違和感を覚えるので、メニューをしっかり読まずに注文すると、口の中に入れてから、サーモンやマグロと一緒にマンゴーを食べてしまったことに気づき、悲しくなることもあります。

そして、世界各国から観光客で賑わう中米リゾート地にも、必ずと言っていいほどお寿司屋さんがあります。メキシコのリゾート地で食べたものには、なんとバターがどっさりと入っていて、驚き！　キューバのリゾート地で食べたお寿司は、ネバネバとしたお餅状態のシャリに、驚き！　バラエティに富んだ斬新なお寿司に挑戦するのは楽しいですが、本当に日本食が恋しくなった際には、やはり日本人経営のお寿司屋さんに行くのがいちばんですね。

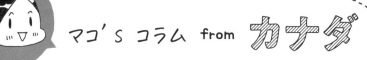

ここは札幌にある大きなゲームセンター
UFOキャッチャーだけでも30台ほどあります
わ〜すごーい♡
あっあれ！あのUFOキャッチャーがしたい!!
日本ってゲーセン大国だよね…どこに行ってもゲーセンがあるもんね…
コラ まて〜!!
ゲーセン文化のない国で育ったうちの子楽しくてしょうがないのよね〜

モンスターゲームのぬいぐるみ!!
これやってみたい!!
ザンちゃんはまだ小さいからムリだよ～
ザンちゃん安心しな!!
札幌のUFOキャッチャーの鬼!!
ゴゴゴゴ
と呼ばれるせーちゃんにおまかせあれ!!
ゴゴゴゴ
せーちゃんの言う通りにすれば取れる!!
わかった!!
いや…さすがに7歳児には…
ムリでしょ…

よーしザンちゃん
ストップって言うまで
このボタンを押して!!
うん!!
わかった!!
ザンちゃん
がんばれ!!
取れなかったら
きっと…
取れるまで
やりたい!!
って言い出すん
だろうな…
ジャラ
ジャラ
今のうちに
両替えして
おこう…
ストップ!!
ウイーン
パカッ
ポト

やっ やった――!!
え!?
うそでしょ!!
ザンちゃんの声!?
両替え
なんとザンちゃんはじめてのUFOキャッチャーで奇跡的に取れた!!
わー!!♡ やったー!!
ママ!! スゴイでしょ!! ボクが取ったんだよ!!
ザンちゃんスゴイよ〜!! せーちゃんのおかげ!! ありが…と…
あれ?
ゴゴゴ
ゴゴゴ
私…取るまで帰らない…
ゴゴゴ
ゴゴ
UFOキャッチャーは私…ガチやから!!
早くかえろ〜
せーちゃ〜ん
あ〜あ
私が両替えした百円玉はせーちゃんが全部使いました

ザーッ
あ〜 おなかいっぱい
楽しかったね
それにしても 雨すごいね〜
ザーッ
今日は友人宅で 夕食をごちそうに なってきました
帰りはあいにくの 大雨です
家に着くの 何時に なるかな
うーん あと1時間 ちょいかな〜
後部座席の 2人も 眠って しまったころ…

100メートル先 右方向です
はーーい
しばらく 道なりです 9キロ先…
プツン
ん?
あれ? 9キロ先何?
あっ もしかして 充電切れた!?
私のバッグに 充電ケーブル ない?
ガサゴソ…
あったあった!!
よし! これで大丈夫!
あれ?
しーん
なんか充電 できないよ
え!? もしや 壊れてる!?

ねえ…灯りひとつ見えないんだけどコンビニある?
ザァァーー
ザァァ
な…ないね…
雨もどんどん強くなってきたね…
ザザーーッ
ザァァ
もう夜10時…開いてるお店なんてないかも…
どうしよう…道わかんない!!
外は真っ暗だね…
下手したらこのまま車中泊?
とあきらめかけたその時…
あっ!! 光!?
希望の光だ〜!!
ザァァーーッ
ザァー

希望の光は改装工事中のヘアサロン
ヘアカットマダム
帰りじたくしてるところかな…？
せーちゃん子どもたち見ててね！
ガチャッ
私ちょっと聞いてくる
わかった！
あのっお仕事中すいません!!
○○町まで行きたいんですが道に迷ってしまって
おっ？そのイントネーションは…おねえさん関西人？

あ…はい初札幌だったんですが…
あの実は充電器が壊れてスマホのカーナビが見られなくて
おお～っそれは大変だ!!
おい！みんな来てくれ！
○○町かぁ～
うーーん
あちゃ～
思いっきり逆方向に来てるよ（笑）
えっ…ウソ!!!
あっオレ充電器あるよ！貸してあげるよ
ええー!! ありがとうございます!!
これで充電してみて！
わ!! 助かる!!

おい！お前！この関西人のお姉さんを○○町まで送ってこい！
あ？オレ？
えっ!?
こっからだと1時間くらいかかるから…
オレ今日はこのまま帰っていいですか？
おう！帰れ帰れ！
いやいやそんな!!とんでもないです!!
し…親切すぎます!!
じーーん
まーちゃん！スマホ充電できたよ!!
えっよかった!!
おお〜よかった〜!!
ねーちゃんたち気をつけて帰れよ！
また北海道遊びにこいよ〜
はい!! ご親切に本当にありがとうございました!!
ん？

いつのまにか ねちゃってた…
では〜〜〜! このご恩は 忘れません
ひよこっ
ママたちだれに サンキューして るんだ?
パァァァーーン
え? え? ニンジャ!?
ニンジャに ヘルプ された?
あ〜 なんて 温かい人たち なんだろ
感動 しちゃったね
大工さんたちのおかげで 北海道旅行がさらに よい思い出になり ザンちゃんはさらに 忍者が好きになりました

ここは古き良き日本
兵庫県の城崎《きのさき》温泉
カナダに戻る前に思い出作りをしようと…
妹(せーちゃん)
弟(たくちゃん)
奥さんたち
弟(のりちゃん)
小倉家が大集合！
城崎温泉は7つの外湯を歩いてめぐるのが人気！
と！いうわけで！
パンパカパーン

ここには!!
ぜったいにいる!!
ニンジャ!!
キョロ
キョロ
いないよ～
きゃーん♡
女の子
ニンジャみたいに
なっちゃった!!
ゆいくん
わたし
つよそう?
ヤレ
ヤレ
まだ言って
るの～～
ゆいくんの
ツッコミにめげない
うちの子たち（笑）
男子チーム
女子チームに
わかれて
湯めぐりスタート!
ザンちゃん…
くれぐれも!
みんなの前で
じいじ
ちゃんに
バッファロー
って
言わないでね
うん!!

バッファロー…
言わないから！
だいじょうぶ!!
ぐっ
不安で仕方ない…
ま…大丈夫かな…
今日はずっと
したかった
湯めぐりを
楽しもう！
いざ！温泉へ！
あっつい!!
入れないよ
えー？
そんなに
熱い？
ママ!! みんな
どうして
あついのに
入ってるの？
も～
杏ちゃん
温泉
だもん！
これくらい
フツーよ～
チャプ…

あっつ!!
ねっ!! あついでしょ!!
熱湯じゃない これ!?
え――――? そうかしら?
次の温泉でも…
先に出た…
うう… 惨敗《ざんぱい》
あっ～
カナダ生活が長くなったせいか… 温泉レベルがすっかり低くなって…
私と杏ちゃんがこんな調子じゃ… ザンちゃんも今ごろ!?
あつい!!
みんなを困らせてるかもしれない!
小倉家の男子チームはどこだ～～～!
キョロ
キョロ
あっママ! あれ!!

いた！男子チーム！
アハハハ
わいわい
ガヤガヤ
足湯
ん？なんか楽しそう!?
ザンちゃーん
たくちゃんバッファロー!!
ホッ
とーちゃんバッファロー
じいじちゃん!!
バッファロー
ウサギたちは黙っとけって！
あはは
あはは
やだわ…
くらっ
里帰り最後の思い出はバッファローとウサギなの…？
なんてことなの
バッファロー!!
ウサギ!!

ザッ
お父さん!!
たくちゃん!!
のりちゃん!!
信じられんちゃ
下ネタなんか
言うとうと
のりちゃんの奥様
九州出身で臨月の
プレママさん
はい…
スミマセン…
こんな公共の場で
大人がアホなこと
ばっかし言って!
恥ずかしいっちゃ!!
最後の思い出を
上書き保存
してくれたのは
かわいい
博多弁でした♡
ポッ

マコ'S コラム from カナダ

---- 11 ----

欧米人にとっての温泉・銭湯

カナダにも、温泉やスパ施設といった大衆浴場がありますが、日本ほど普及していません。温泉はカナダ北西部にのみ湧出しており、大自然の中にある原始温泉がほとんどなので、ハイキングや水上飛行機、ヘリコプターなどをチャーターしてアクセスすることになります。スパに関しても、代表的なのが北欧スタイルのスパで、バスローブを羽織ったままワイン片手に贅沢な1日を過ごすイメージが強く、気軽に家族や友人と行くようなところではありません。

カナダの温泉・スパ文化がこんなふうなので、日本の温泉や銭湯にしても、カナダ人にとっては敷居が高い場所だと思われがちです。ですが日本に遊びに行くと、それが誤解だということに気づくようです。宿泊施設に温泉がついてたり、ワンコインの銭湯を見かけたりするので、身近な存在だとわかるのでしょうね。

けれど日本の大衆風呂のハードルがふたたび上がるのは、門をくぐってからでしょうか。生まれてはじめて他人の前で裸になる、お湯に浸かる前に体を洗う、洗う時はタオルでゴシゴシ汚れを落とす、タオルは湯船の中につけない、など、日本では当たり前のルールですが、欧米人にとってはこのシステムが理解できず、風呂場で混乱してしまうようです。

また、いざ風呂に浸かる時に、電気風呂や日本酒湯、薬草風呂といった日本語のサインが読めないこともあり、お風呂は最高に気持ち良かったけど、どんな湯に入ったのかさっぱりわからなかったという話も聞きます。「慣れない日本の大衆風呂に行く際は、やはり日本人と一緒に行くのが一番では?」と夫は言っております。バッファローと言われる覚悟で…?（汗）

は〜〜〜…… いよいよ
ザンちゃんも 杏ちゃんも… 明日帰るんか…
しょぼん
え？
お父さん… 私たち帰るの 今日だよ
え――――っ
お母さんは 明日って言って たぞ――!!
またか…

母は父に
次の日曜にカナダ帰るって
と何度も言っていたらしく
しっかり見送りできるように土曜日に仕事をまとめて…
と…今日の帰国の日に仕事をみっちり入れてしまった様子
も〜お父さんてば何度も土曜って言ってたのに！
まちがってたのはお母さんなのに〜〜〜…
母は最後の日まで「いつも通り」でした（笑）
予定よりも早くお別れの日が来てしまった父
ザンちゃん杏ちゃん
号泣
日本のじいじちゃんのこと忘れないでねカナダに着いたらすぐに電話してね！
じいじちゃん…

じいじちゃんのバッファロー忘れないよ!!
ああ ワシもザンちゃんの白ウサギは忘れんぞ!
あきれる 女子チーム ↓
父は仕事へ行きました
ザンちゃーん杏ちゃーんついでにマコ!元気でな!!
ついで…
伊丹《いたみ》空港出国ゲート前
うっ
うっ
母も泣いていた

ばあばちゃん もう泣かないで
大号泣!!
マコ！ まだ時間あるけど帰るわ！ 涙がもうとまらないから
お母さん ありがとう
ばあばちゃん 泣いちゃいや
わかった
また…来てね じいじちゃんと まってるからね
ばあばちゃ———ん!! ありがと〜〜〜!! すごくたのしかった!!
ばあばちゃん 大好き!!
お母さん ありがとねー！

こうして
ザンちゃんと
杏ちゃんと私は
日本をあとにしました
ゴォォ
日本ありがとう!!
またすぐ
もどってくるね!!

[その23] ただいまカナダ

英語に戻るの
早いな～
ハハハ…
2人はよく
日本の思い出話を
しています
帰国して
数日後
1カ月会えなかった
友だちを呼んで
「日本のお土産
パーティー」を
することに
パーティーの
メインテーブルに
並ぶのは
お寿司…ではなく
おにぎり!!

ボクの学校のランチもおにぎりが欲しいな！
ボクも！
ザンちゃんのママ！ボクのママにレシピ教えてあげてね！
はーい♡
ザンちゃんが見た北海道の忍者の話をすると大盛り上がり！
次日本に行く時はボクも一緒に行きたい!!
ボクも!!
ニンジャ!! 会ってみたい!!
え～ みんなひとりで？ パパやママは？

日本に行ったら みんなで スーパーのお菓子 コーナーに 行こう!!
モンスターの カードが 入ってるんだ!!
え――――!! 楽しそう!!
1カ月… あっという間 だったな
お父さんも お母さんも いつもの 静かな毎日に 戻ったかな
ふ〜 やれやれ
2人の孫を 1カ月 た〜っぷりと かわいがって くれて本当に ありがとう!
また今度 成長した ザンちゃん 杏ちゃんを
連れて 行くからね まっててね
ニコッ
おわり

あとがき

朝食に炊きたてのお米とお味噌汁を食べる。のどが乾けば、便利な自動販売機でお茶を買う。外出の際には、ためらうことなく公衆トイレが使える。レストランに行くと、温かいおしぼりが出てくる。1日の疲れは、薬用入浴剤が入ったお風呂でとる。

日本に住んでいた時は、こんなことが普通で、便利なことにさえ気づきませんでしたが、本書で綴った里帰りの際には、カナダで生まれ育った子どもたちの目を通して、日本独特の便利かつユニークな文化を再発見することができました。こんな素晴らしい国で生まれ育ったことに、そして日本の面白さを教えてくれた子どもたちに感謝しています。

そして本書を書き終えた2020年4月、新型コロナウィルス感染拡大防止のため、私の住んでいるオタワでは、買いものに行く、カフェに行く、友だちに会う、学校に行く、仕事に行くなど、日常生活に規制がかかってしまいました。ここでもまた、なにげない生活が普通ではなくなってしまい、今になって、当たり前の生活が送れていたことに感謝しております。

そういうことで、２０２０年はまさに「いつも」の毎日を送れることが、どれだけ幸運なことであったか、感謝する年となってスタートしました。それと同時に、私が「いつも」通りライターとして続けていけるのも、読者のみなさまのサポートがあってのことだと再認識する機会になりました。この場を借りて厚く御礼申し上げます。

また、今回は、７年ぶりの新刊となるのですが、そんなギャップがあったにもかかわらず、本書の企画を提案し、的確かつ鋭いご指導をしてくださったイースト・プレスの齋藤さまには感謝の気持ちでいっぱいです。そして原作のイメージ通りに（いやそれ以上の！）素晴らしい漫画を描いてくださった漫画家のアベナオミさまにも、心から感謝しています。

これからも、楽しい作品を書いていけるよう頑張りますので、引き続き、お付き合いいただけると幸いです。

本書を通してのたくさんの出会いに感謝して♡

２０２０年４月　小倉マコ

日《に》本《ほん》びいきのハーフっ子《こ》と里《さと》帰《がえ》り

コミックエッセイの森

2020年6月27日　第1刷発行

[原　作]　小《お》倉《ぐら》マコ
[漫　画]　アベナオミ
[装　幀]　坂根 舞（井上則人デザイン事務所）
[本文DTP]　臼田彩穂
[編　集]　齋藤和佳
[発行人]　堅田浩二
[発行所]　株式会社イースト・プレス
〒101-0051 東京都千代田区神田神保町2-4-7　久月神田ビル
Tel 03-5213-4700　Fax 03-5213-4701
https://www.eastpress.co.jp/
[印刷所]　中央精版印刷株式会社

ISBN978-4-7816-1887-6 C0095

◆作画協力◆

菅原茉由美
髙橋海香
安比奈ゆき
藤川和美
YUME
mujino